Ce livre appartient à

© 1999 Mango Jeunesse pour la présente édition
Loi n° 49-956 du 16 juillet 1949 sur les publications destinées à la jeunesse
Dépôt légal : octobre 1999
ISBN : 2 7404 0917-6
Participation au texte : Miwou Woungly-Massaga

Imprimé par PPO Graphic, 93500 Pantin

Les plus beaux contes d'Andersen

MANGO *JEUNESSE*

La Petite Fille
aux allumettes

Illustrations
Erin Augenstine

COMME il faisait froid ! La neige tombait depuis le matin et il faisait déjà sombre, la nuit approchait ; c'était le dernier soir de l'année, la veille du jour de l'an. Tout le monde était rentré chez soi, au chaud, pour préparer l'oie rôtie aux marrons, le gâteau aux pommes et plein d'autres bonnes choses encore.

Bien qu'il fût très tard, une petite fille marchait encore par les rues glacées de la ville.

Elle n'avait ni bonnet, ni chaussures. Quand elle était partie de chez elle, ce matin-là, elle portait une paire de vieilles pantoufles toutes trouées, bien trop grandes pour elle. Elle les avait perdues en courant pour éviter une voiture.

L'une d'elles avait disparu. Quant
à l'autre, un petit garçon l'avait ramassée
et transformée en bateau pour ses soldats
de plomb.

La petite fille allait donc pieds nus,
et ils étaient bleuis par le froid.

Dans son vieux tablier en guenilles,
elle portait des allumettes, et elle en tenait
un paquet à la main. Mais, ce jour-là,
tout le monde était affairé et, par cet affreux
temps, personne ne faisait attention
à la pauvre enfant, si bien qu'à la fin
de la journée personne ne lui en avait
acheté une seule, ni même donné ne
serait-ce qu'un sou.

Tremblante de froid et de faim, la petite
fille déambulait tristement de rue en rue.

Des flocons de neige couvraient sa longue chevelure blonde.

De temps en temps, elle s'arrêtait devant une fenêtre éclairée. Toutes les maisons étaient décorées pour le réveillon du jour de l'an. Des parfums délicieux s'en échappaient, ce qui rendait la petite fille encore plus affamée.

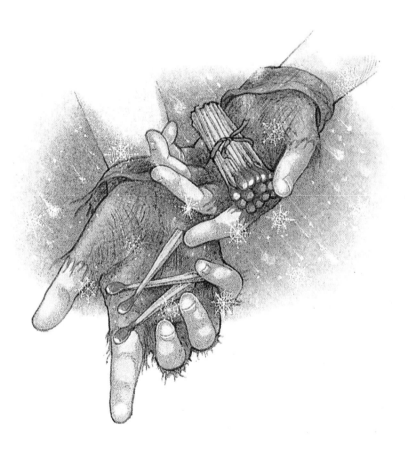

Enfin, après avoir une dernière fois offert en vain son paquet d'allumettes, l'enfant finit par s'installer à l'abri du vent, dans l'angle de deux grandes maisons.

Elle s'assit par terre et replia ses pieds sous sa jupe dans l'espoir de les réchauffer un peu. Mais il faisait si froid qu'elle grelottait et frissonnait encore plus qu'avant.

Elle avait peur de rentrer chez ses parents, car elle n'avait pas vendu une seule allumette. D'ailleurs, il ne faisait guère plus chaud chez elle, où les murs étaient pleins de trous.

Sa mère avait bien essayé de les boucher avec de la paille et des chiffons, mais le vent continuait à souffler au travers.

La petite fille tendit les mains devant elle. Elles étaient raides de froid.

« Si je prenais une allumette, se dit-elle, une seule, pour réchauffer mes doigts ? »

Elle regarda longuement le paquet
qu'elle tenait à la main, puis en sortit
une allumette, qu'elle frotta contre le mur
de pierre.

L'allumette grésilla et s'enflamma
en jetant une vive lueur. Quelle flamme
merveilleuse !

Il sembla tout à coup
à la petite fille qu'elle se
trouvait assise devant
un gros poêle de fonte
aux pieds de cuivre
étincelants, où crépitait
un feu magnifique.
Comme il faisait chaud
et bon ! Elle tendit
les bras et les jambes
vers les braises luisantes.

Mais, à ce moment-là, l'allumette s'éteignit, le poêle disparut et la petite fille se retrouva de nouveau dans la rue glacée, un petit morceau de bois à moitié brûlé dans la main.

Elle sortit une autre allumette du paquet et la frotta. Une flamme s'éleva et éclaira le mur, qui devint soudain transparent comme du verre. L'enfant vit à l'intérieur de la maison. Il y avait une longue table couverte d'une nappe blanche immaculée sur laquelle avaient été disposés des assiettes en porcelaine de Chine,

des verres en cristal et des couverts en argent.
Au centre, un énorme plat contenait une
oie rôtie garnie de pommes et de saucisses.
Comme elle avait l'air bonne !

Il se passa alors quelque chose d'encore
plus merveilleux : l'oie sauta de son plat, un
couteau et une fourchette plantés dans le
dos, et roula jusqu'à la petite marchande
d'allumettes, qui tendit la main.

Mais l'allumette s'éteignit aussitôt.
Une fois de plus, l'obscurité était retombée,
et la petite fille se retrouva face au mur de
pierre humide.

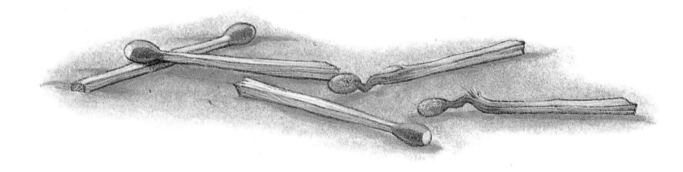

Elle frotta le plus vite possible une troisième allumette.

Cette fois, la lumière jaillit encore plus vivement et elle découvrit un sapin de Noël immense. C'était le plus grand et le plus beau de tous les sapins de Noël qu'elle avait jamais vus.

Des centaines et des centaines de bougies brillaient sur ses branches vertes, auxquelles étaient suspendues des images multicolores représentant des anges, des images comme celles qu'on voyait dans les vitrines au moment de Noël. Mais ces images-là étaient beaucoup plus vivantes et beaucoup plus belles.

La petite fille tendit la main vers l'arbre. Mais la flamme de l'allumette vacilla et s'éteignit.

Cependant, les bougies du sapin se mirent à monter, monter, de plus en plus haut, jusqu'à ce que l'enfant, fascinée, se rendît compte qu'elle était en train de regarder les étoiles. Celles-ci étaient si merveilleuses que la petite fille eut l'impression que son cœur allait éclater. C'est alors que l'une d'elles tomba en laissant derrière elle une longue traînée de feu.

« Quelqu'un est en train de mourir », pensa l'enfant.

Sa grand-mère, la seule personne au monde qui l'eût jamais vraiment aimée,

lui avait raconté qu'une âme montait au ciel à chaque fois qu'une étoile tombait.

La petite fille sortit une autre allumette du paquet et la frotta contre le mur. Cette fois, la lumière forma devant elle un halo brillant, au centre duquel se tenait sa grand-mère. Elle avait un air si rayonnant et affectueux que l'enfant ne put s'empêcher de s'écrier :

« Oh ! Grand-mère ! Je t'en prie, emmène-moi avec toi. Je sais que tu vas disparaître quand l'allumette s'éteindra, comme le gros poêle de fonte, l'oie rôtie et le sapin de Noël. Grand-mère, s'il te plaît, ne me laisse pas ici, je t'en supplie ! »

Et l'enfant alluma une nouvelle
allumette puis une autre, et enfin tout le
reste du paquet, en le frottant tout entier
contre le mur. Les allumettes s'enflammèrent
brusquement et répandirent un éclat plus vif
que celui du soleil. La petite fille revit sa
grand-mère, vers laquelle elle tendit les bras.

Tendrement, la vieille dame l'enlaça et,
ensemble, elles s'élevèrent au-dessus des rues
sombres et glacées de la ville vers un endroit
où n'existent ni la faim, ni le froid,
ni la souffrance. Elles s'en allèrent au ciel.

Le lendemain, de bonne heure,
un passant découvrit la petite marchande
d'allumettes, toujours assise dans l'angle
des deux maisons, appuyée contre le mur.

Elle souriait, mais ses joues étaient très pâles. Elle était morte de froid pendant la nuit.

« Oh! La pauvre enfant! » dirent les gens avec tristesse. L'un d'entre eux montra du doigt les allumettes brûlées qu'elle tenait encore dans sa main.

« Regardez, la pauvre petite a dû essayer de se réchauffer comme elle a pu. »

Mais ils ignoraient, bien sûr, les merveilles qu'elle avait vues cette nuit-là et comment elle avait célébré la venue du nouvel an avec sa grand-mère.

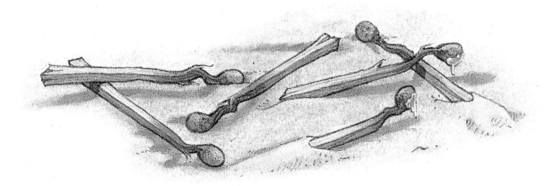

La Petite Sirène

Illustrations
Elizabeth Miles

AU plus profond de l'océan,
là où aucun homme n'a jamais
pu plonger, vivaient, dans un
merveilleux palais de coquillages précieux et
de perles rares, le roi de la mer et ses sujets.

Ce roi avait six filles, six jolies sirènes, dont la plus jeune était de loin la plus belle, la plus sage et la plus réfléchie.

Tandis que ses sœurs s'amusaient toute la journée à tresser des couronnes d'algues et à jouer avec les poissons, elle préférait écouter sa grand-mère lui parler du monde des hommes.

La petite sirène rêvait du parfum des fleurs, car il n'y a pas d'odeurs sous l'eau. Elle fut stupéfaite aussi d'apprendre que les poissons terrestres — c'est ainsi que sa grand-mère appelait les oiseaux — chantaient magnifiquement.

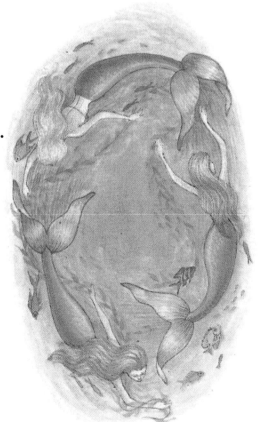

Mais ce qu'elle aimait par-dessus tout, c'était entendre parler des hommes qui vivaient au-dessus des flots.

Le jour de leur quinzième anniversaire, les filles du roi obtenaient la permission de monter à la surface de la mer. Comme elle était la plus jeune, la petite sirène dut attendre son tour avec patience.

Lorsque l'aînée revint, elle parla à sa petite sœur du scintillement des étoiles ; la deuxième lui décrivit la splendeur d'un coucher de soleil ; la troisième fut charmée

par un jardin plein de fleurs ; la quatrième fut émerveillée par l'immensité du ciel bleu ; et la cinquième, par les montagnes de glace étincelantes qui flottaient sur l'océan.

Malgré toutes les beautés qu'elles avaient pu découvrir de l'autre côté des vagues, les cinq sœurs de la petite sirène préféraient nettement leur monde sous-marin.

« Je verrai bien par moi-même, se dit la petite sirène, songeuse. Vivement mes quinze ans ! »

Le soir tant attendu arriva enfin. Le ciel resplendissait d'étoiles argentées quand elle sortit la tête de l'eau. Un navire décoré de lanternes multicolores faisait voile dans sa direction. Curieuse, elle nagea jusqu'à lui et jeta un coup d'œil à travers un hublot.

Elle aperçut à l'intérieur, entouré d'une joyeuse bande d'amis, un très beau prince qui fêtait justement son seizième anniversaire. Immédiatement, elle tomba sous son charme.

« S'il pouvait me voir, peut-être m'aimerait-il lui aussi ? » songea-t-elle.

C'est alors qu'une terrible tempête se leva. Les vagues se creusèrent, le vent se mit à mugir et bientôt le bateau commença à craquer.

« Nous allons couler ! » hurla un marin.

Le bateau se brisa sous la violence des flots et tous ses passagers furent précipités à la mer. La petite sirène se réjouit d'abord à l'idée que le prince allait la rejoindre, mais elle se souvint bien vite que les hommes ne pouvaient pas survivre sous l'eau.

Alors, pour le sauver, elle plongea
profondément sous l'eau et arriva jusqu'au
jeune prince inanimé. Elle réussit à le remonter
à la surface et à lui maintenir la tête hors de
l'eau. Toute la nuit, ils dérivèrent ainsi.

À l'aube, la tempête s'étant calmée,
la petite sirène arriva près d'une plage, que
surplombait une petite église blanche.

Elle nagea jusqu'au rivage, où elle déposa le prince. Là, elle l'embrassa sur le front, mais il ne bougeait toujours pas.

Elle entendit alors sonner la cloche de l'église, dont la porte s'ouvrit. Un groupe de jeunes filles en sortit en courant. Affolée par le son de leur voix, la petite sirène se cacha derrière un rocher. Elle vit l'une de ces jeunes filles s'élancer vers le prince au moment où il ouvrait les yeux.

Très triste, la petite sirène poussa un gros soupir et plongea sous les vagues pour retourner au palais de son père.

Quand ses sœurs l'interrogèrent sur ce qu'elle avait vu, elle refusa de leur répondre.

Les jours et les nuits suivants, elle ne put détourner ses pensées du beau prince, à tel point qu'elle finit par devenir toute pâle et languide. Désormais, elle passa tout son temps à le chercher, dans l'espoir de le revoir.

Un jour, elle découvrit par hasard
une plage au bord de laquelle s'élevait
un grand palais de marbre. Quelle ne fut pas
sa joie quand elle y vit le prince, en train de
se promener au bord de l'eau ! Ce palais
était le sien.

Le lendemain et les jours qui suivirent,
la petite sirène revint l'observer en secret.

Elle l'aimait de plus en plus. Mais elle
n'osait pas se montrer, car sa grand-mère lui
avait raconté que les hommes avaient peur
des sirènes.

« Ils trouvent notre queue de poisson
horrible, lui avait-elle dit. Pour être beau,
il faudrait que tout le monde soit pourvu
de ces deux appendices qu'ils appellent
des jambes ! »

« Ah ! Si j'avais des jambes, moi aussi, le prince m'aimerait peut-être », pensa la petite sirène.

Elle prit alors une décision terrible. Dans les grandes profondeurs de l'océan vivait une vieille sorcière aussi puissante que méchante. Elle alla lui demander conseil.

Dès qu'elle eut franchi le seuil de
la grotte, la vieille sorcière ricana :

« Je sais bien pourquoi tu viens me
voir, stupide princesse. Tu veux des jambes ?
Je t'en donnerai, mais tu le regretteras
peut-être. Tu seras toujours aussi gracieuse
et pourtant, chaque pas te donnera l'impression
de marcher sur des lames de rasoir !

— Ça m'est égal ! répliqua la petite sirène, qui ne pensait qu'à son prince.

— Autre chose, encore, continua la sorcière. Une fois transformée en femme, tu ne pourras plus jamais retourner chez ton père. Pire encore : si ton prince ne tombe pas amoureux de toi et décide d'en épouser une autre, tu mourras. Dès le lendemain de son mariage, ton cœur se brisera et tu disparaîtras en ne laissant qu'une trace d'écume à la surface des vagues !

— Ça m'est égal ! » s'écria de nouveau la petite sirène, qui était néanmoins devenue très pâle.

« Mais tu dois me payer, ajouta la sorcière. En échange de ces jambes, tu vas me donner ta voix ! »

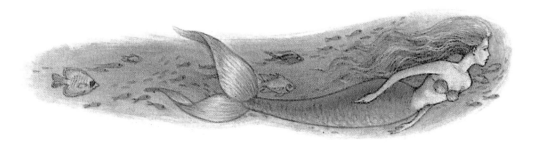

La petite sirène hésita. Elle possédait la plus belle voix de toutes les créatures de la mer.

« Mais comment pourrais-je me faire aimer du prince si je n'ai plus de voix pour lui parler ? s'exclama-t-elle.

— Tu es très jolie, répondit la sorcière. Sers-toi de ton charme pour le séduire.

— C'est entendu », répondit la petite sirène.

Et, ainsi, elle donna sa voix à la vieille sorcière de la mer contre une potion magique capable de transformer sa queue de poisson en une paire de jambes.

La nuit venue, elle alla,
le cœur gros, dire bonsoir
à son père, à sa grand-mère
et à ses sœurs. Puis, elle partit
à la nage vers la plage du palais.

Là, elle avala la potion magique.
Aussitôt, elle ressentit une violente douleur,
comme si une épée la traversait de part
en part, et tomba sans connaissance. Quand
elle se réveilla au matin, sa queue de poisson
s'était changée en une paire de très jolies
jambes ; le prince se tenait à
ses côtés.

« Qui êtes-vous? » demanda-t-il.

Évidemment, la petite sirène fut incapable
de lui répondre. Cependant, elle était si
charmante et ses beaux yeux bleus exprimaient
une telle tristesse que le prince eut pitié
d'elle et l'emmena dans son palais.

Comme le lui avait dit la sorcière,
chaque pas lui procurait une souffrance
intolérable. Mais elle était très courageuse
et elle réprima ses gémissements.

Le prince ordonna à ses servantes
de lui donner la plus belle robe. Et, quand
il la vit richement habillée, il la trouva
merveilleuse. Mais, incapable de prononcer
une seule parole, la petite sirène devait
se contenter de regarder le prince de
ses grands yeux pleins de tristesse.

« Pauvre créature, lui dit le prince. Si seulement tu pouvais parler. Tu me rappelles beaucoup une jeune fille qui m'a sauvé la vie. Jamais je ne pourrai en aimer une autre qu'elle, mais, hélas, je ne la reverrai pas. Accepterais-tu de demeurer avec moi ? »

À ces mots, le cœur de la petite sirène faillit éclater de joie. Elle aurait tant voulu dire au prince que c'était elle qui l'avait arraché à la tempête. Mais cela lui était impossible.

Elle devint néanmoins la plus proche de ses compagnes. Elle s'efforça alors de faire tout ce qu'elle pouvait pour lui être agréable, mais toujours il lui parlait de l'autre.

« Je ne la reverrai jamais, répétait-il. Enfin, je suis vraiment heureux que tu m'aies été envoyée, belle amie silencieuse. »

La petite sirène dansa même pour lui, alors que cela la faisait terriblement souffrir. Elle dansait avec tant de grâce que le prince, charmé, lui demanda de ne jamais le quitter.

Or, un jour, le roi annonça que le prince devait épouser la fille d'un seigneur voisin. Le prince confia à la petite sirène qu'il n'accepterait jamais.

« Je ne peux pas épouser cette princesse alors que je suis amoureux de celle qui m'a sauvé la vie. J'aimerais mieux t'épouser, toi. »

Et il l'embrassa sur la joue. Le lendemain, le roi décida de prendre la mer avec son fils pour aller rendre visite à son voisin. Le prince tint absolument à emmener la petite sirène avec lui.

Quand le bateau accosta, le seigneur et sa fille les attendaient sur le rivage.

Quelle ne fut pas la surprise du prince quand il découvrit la princesse !

« Mais c'est elle qui m'a sauvé la vie ! Mon souhait a été exaucé ! » s'écria-t-il en sautant à terre.

La princesse était très belle et avait un air de grande bonté. « Je ne suis pas étonnée que le prince soit amoureux d'une jeune fille aussi charmante, pensa la petite sirène. Comment pourrait-il savoir que c'est moi, et non elle, qui lui ai sauvé la vie ? Ainsi, je dois me préparer à mourir. »

Il fut décidé que le mariage serait célébré le soir même. Désirant que son amie partage son bonheur, le prince demanda à la petite sirène de rester auprès de lui pendant la cérémonie. C'est donc elle qui tint le

voile de la mariée ; elle réussit même à sourire, malgré sa détresse, tant son courage était grand.

« Demain, je serai morte, pensa-t-elle. Plus jamais je ne reverrai mon père, ma grand-mère, ni mes sœurs ! » Et une larme roula le long de sa joue.

Quand, un peu plus tard, le prince et la princesse se retirèrent sur le bateau qui devaient les ramener au royaume du prince, la petite sirène demeura seule sur le pont, et contempla la mer.

C'est alors qu'elle vit venir à elle ses sœurs.

Elles avaient coupé leur magnifique chevelure et l'aînée tenait à la main un grand couteau pointu.

« Chère petite sœur, dirent-elles en pleurant, nous avons offert nos chevelures à la sorcière de la mer en échange de ce couteau. Si tu t'en sers pour tuer le prince avant le lever du soleil, tes jambes disparaîtront et ta queue de poisson repoussera. Tu pourras alors revenir vivre avec nous au fond de l'océan ! »

La petite sirène prit le couteau et descendit dans la chambre du prince.

Quand elle le vit endormi à côté de la princesse, les larmes lui montèrent aux yeux et elle courut sur le pont pour jeter le couteau à la mer. Comme le soleil se levait, elle plongea et s'enfonça dans les vagues, où elle attendit la mort. Mais, au lieu de disparaître en ne laissant qu'une trace d'écume, elle se sentit soulevée dans les airs.

« Que m'arrive-t-il ? s'écria-t-elle.

— Ne crains rien, petite sirène, nous sommes les esprits de l'Air, lui répondit un chœur de voix musicales. Ton beau geste t'a sauvée. Tu es devenue l'une des nôtres. Au lieu de mourir, tu voyageras désormais autour du monde avec nous pour y répandre l'amour et la paix. »

La petite sirène se sentit inondée
de joie. Baissant les yeux vers la mer, elle vit
le prince qui scrutait tristement les flots.
Elle descendit alors vers lui en volant et lui
murmura à l'oreille :

« Ne t'inquiète pas ! Je vais très bien. »

Le prince sentit soudain un grand soulagement l'envahir. Quant à la petite sirène, elle s'en alla rejoindre les esprits de l'Air, avec lesquels elle disparut dans les nuages.

L'Intrépide Soldat de plomb

Illustrations
Michael Montgomery

*I*L était une fois vingt-cinq petits soldats de plomb qui vivaient ensemble dans une boîte en bois gravé. Ils portaient de beaux uniformes rouge et bleu, et avaient chacun un petit fusil.

Les premiers mots qu'ils entendirent furent ceux d'un petit garçon qui s'écria, en soulevant le couvercle de la boîte :

« Oh! Regarde! Des soldats de plomb! »

C'était son anniversaire et il venait de les recevoir en cadeau.

Ravi, il battit des mains et disposa les soldats sur la table. Ils étaient tous semblables, sauf un, à qui il manquait une jambe. Il avait été fabriqué en dernier et il ne restait plus assez de plomb pour le terminer correctement.

La table était déjà couverte d'une
multitude de jouets plus jolis les uns que
les autres.

Mais, assurément,
le plus beau était
un magnifique château
en carton.

On apercevait à travers les fenêtres les petites pièces entièrement meublées. Devant le château, des arbres en papier se dressaient autour d'un petit miroir qui figurait un lac. Et sur le lac-miroir nageaient de jolis petits cygnes en cire. Mais le plus adorable de tout était une minuscule danseuse en papier.

Vêtue d'une robe de tulle blanc, elle portait un ruban bleu, drapé autour de ses épaules à la manière d'un châle. Ce ruban était maintenu en place par une ravissante broche d'argent de la taille de son visage.

Elle tendait gracieusement les bras en avant et tenait une de ses jambes si haut levée derrière elle que le petit soldat, qui ne pouvait pas l'apercevoir, s'imagina que la danseuse n'avait, comme lui, qu'une seule jambe.

« Tout comme moi, pensa-t-il. Comme elle est belle ! Malheureusement, c'est une trop grande demoiselle. Elle vit dans un château et moi dans une boîte en bois que je partage avec vingt-quatre frères ! »

Et il se cacha derrière une tabatière pour pouvoir l'observer à son aise.

Le soir arriva. Le petit garçon rangea tous ses nouveaux jouets à leur place et remit les petits soldats de plomb dans leur boîte. Les lumières s'éteignirent et, quelques instants plus tard, toute la maisonnée dormait à poings fermés. Alors, les jouets revinrent à la vie et commencèrent à s'amuser. Ils parlaient les uns avec les autres, faisaient des rondes et des farandoles. Les poupées valsaient avec grâce et légèreté pendant que les ours en peluche jouaient à saute-mouton.

Les crayons de couleur se poursuivaient sur les feuilles de papier à dessin.

Et le coucou qui les surplombait du haut de sa maison chantait pour les accompagner.

À leur tour, les soldats de plomb
secouèrent le couvercle de leur boîte pour
se joindre à la fête. Seuls le petit soldat de
plomb et la danseuse en papier restaient
immobiles. Elle se tenait toujours à la porte
du château, aussi raide que lui sur son
unique jambe.

Il la regardait, elle le regardait aussi, mais aucun son ne sortait de leur bouche.

Quand minuit sonna, le couvercle de la tabatière s'ouvrit d'un coup et un petit lutin rouge en surgit.

« Soldat de plomb! gronda le lutin. Je te conseille de ne pas laisser traîner tes yeux n'importe où! »

Mais le soldat de plomb fit semblant de ne pas l'entendre. Le lutin lui dit alors d'un air mauvais :
« Très bien. Je m'occuperai de toi demain », et il disparut dans la tabatière.

Très tôt, le lendemain matin, le petit garçon entra en courant dans la pièce avec son frère.

Ils prirent le petit soldat de plomb pour l'installer sur le rebord de la fenêtre.

Était-ce ou non une mauvaise plaisanterie du lutin rouge ? Toujours est-il que soudain, un violent coup de vent balaya la pièce et interrompit le cours des pensées du petit soldat de plomb.

Celui-ci tomba, tomba, trois étages plus bas, dans la rue. La chute fut terrible : il atterrit la tête la première, son fusil coincé entre deux pavés, la jambe en l'air. Les enfants se précipitèrent dehors pour le retrouver, mais en vain.

L'après-midi, la pluie se mit à tomber, une pluie drue et dense, qui remplit bientôt les caniveaux. Quand l'averse fut terminée, deux garçons qui étaient sortis pour jouer découvrirent le petit soldat.

« Oh! Un soldat de plomb! Si on lui fabriquait un bateau? » Ce qu'ils firent aussitôt avec un vieux journal.

Le soldat de plomb commença à dévaler la rue. Comme le bateau de papier avançait vite ! Comme l'eau semblait profonde !

Le petit soldat sentait la peur le gagner, mais, très bravement, il continua à se tenir droit, le fusil calé contre son épaule.

Soudain, le petit bateau de papier fut aspiré dans une bouche d'égout et s'enfonça dans un tunnel sombre.

« Comme il fait noir, ici! pensa le petit soldat. Je me demande bien où je suis. C'est

la faute de ce maudit lutin. Si seulement la petite danseuse était là. Je m'en ficherais bien, du noir ! »

À ce moment-là, un gros rat d'égout aborda le bateau :

« Passeport ! siffla-t-il entre ses dents. Tout de suite ! »

Le petit soldat ne répondit rien mais serra un peu plus fort son fusil, calé contre son épaule. Le rat d'égout grinça des dents et hurla de toutes ses forces :

« Arrêtez-le! Arrêtez-le! Il voyage sans passeport! »

Mais le petit bateau de papier fut vite emporté par le courant.

Le soldat de plomb aperçut bientôt une lumière devant lui. Et, à mesure qu'il s'en approchait, il entendait de plus en plus distinctement un terrible grondement. Il y avait là de quoi effrayer le plus brave d'entre les braves. L'eau du tunnel se déversait dans un canal. Pour un soldat de plomb, ce plongeon était aussi dangereux qu'une énorme chute d'eau pour un humain.

Le petit soldat de plomb était terrifié,
mais il continua à se tenir bien droit, le fusil
calé contre son épaule.

Le bateau de papier bascula dans le canal.
Il tourna sur lui-même, tourbillonna, puis
commença à se remplir d'eau.

Le petit soldat, incapable de faire
un seul mouvement, pensa à la jolie petite
danseuse, qu'il ne reverrait plus jamais. Puis,
il se rappela les paroles d'un chant militaire :
Adieu, soldat loyal et courageux.
En route pour une sépulture sombre et glacée !

Finalement, le bateau de papier se
désintégra dans l'eau et le petit soldat de
plomb coula.

À ce moment-là, un gros poisson qui passait justement l'avala. Comme il faisait noir dans le ventre du poisson! Encore plus noir que dans le tunnel. Mais le soldat de plomb se tenait toujours bien droit, le fusil calé contre son épaule.

Le poisson se mit à faire des bonds dans tous les sens, puis finit par se calmer tout à fait. C'est alors qu'un éclair de lumière sembla le traverser, et le petit soldat se trouva projeté à l'air libre.

« Ça alors ! » s'écria une voix.

En effet, le poisson avait été pêché puis vendu sur le marché. Une cliente l'avait acheté, emporté dans sa cuisine, et elle venait de lui ouvrir le ventre avec un gros couteau.

Elle saisit le petit soldat de plomb entre deux doigts et alla montrer à toute la famille l'étonnant objet qui avait fait un si long voyage dans le ventre du poisson.

Quand elle le posa sur la table, tout le monde sauta de joie. Le petit soldat de plomb regarda autour de lui, très étonné : il était revenu à son point de départ.

Il y avait là le petit garçon, les ours en peluche et ses vingt-quatre frères en plomb.

La petite danseuse aussi était là, à un bout de la table, dans son château en carton. Elle se tenait toujours debout sur une seule jambe, car elle avait autant de constance que le petit soldat de pomb.

Quand il l'aperçut, il fut si ému qu'il
en aurait pleuré. Mais, bien sûr, il ne le pouvait
pas. Il se contenta de la regarder. Et elle le
regarda. Et aucun d'eux ne parla.

C'est alors que le petit garçon saisit son
soldat de plomb et le jeta dans le feu.
C'était sûrement une mauvaise blague
du petit lutin rouge, car pourquoi le petit
garçon aurait-il fait une chose pareille ?

Les flammes voltigeaient autour du petit soldat de plomb.

La chaleur était insupportable, mais était-ce la chaleur du feu ou celle de ses sentiments pour la petite danseuse ? Il n'aurait pas pu le dire. Les couleurs vives s'effacèrent de son uniforme, peut-être en signe de douleur.

Le petit soldat regardait la petite danseuse, qui le regardait aussi. Il se sentait fondre, mais il restait toujours aussi droit, car c'était un soldat loyal et courageux.

Soudain, la porte s'ouvrit toute grande et un coup de vent fit s'envoler la petite danseuse. Elle voltigea à travers la pièce avant de retomber dans le feu, juste à côté du petit soldat de plomb.

Les flammes l'enveloppèrent et elle disparut en une seconde. À côté d'elle, le petit soldat de plomb fondait lentement dans une masse informe de couleur grise.

Le lendemain matin, quand la bonne
vint enlever les cendres de la cheminée, elle
trouva un petit cœur en plomb. De la petite
danseuse ne restait qu'une broche, aussi
noire que du charbon.

Dans la même
collection

Les plus beaux contes de Grimm

Les plus beaux contes de Perrault